이솝우화로 만나는

하브루타 생각

이창민.한사무엘.김미리

저자 프로필

이창민

목원대학교 신학대학 졸업
침례신학대학원 졸업
새김교회 담임교역자
새김하브루타연구소 소장
인천과학예술영재학교 하브루타 강사
러브릿지스쿨 하브루타 강사 외 다수 강의
새김하브루타선교회 운영

한사무엘

목원대학교 신학대학 및 신학대학원 졸업
새김하브루타연구소 사무총장
하브루타 리더 2급(새김하브루타연구소)

김미리

충남대학교 미술대학 서양화 전공
새김하브루타연구소 홍보팀장
하브루타교육사 2급(하브루타교육협회)
아트 하브루타(Art Havruta) 전문 강사

발 행 일 2017년 11월 1일
저 자 이창민, 한사무엘, 김미리
펴 낸 이 한건희
펴 낸 곳 주식회사 부크크
디자인 및 편집 한사무엘
표지디자인 한사무엘
ISBN 979-11-272-2508-7

출판등록 2014.07.15.(제2014-16호)
주 소 경기도 부천시 원미구 춘의동 202 춘의테크노파크2단지 202동 1306호
대표전화 1670-8316
이 메 일 info@bookk.co.kr
홈페이지 부크크 : www.bookk.co.kr | 새김하브루타연구소 www.saegim.org

값 13,500원

서문

이제 "하브루타!" 하면 "하브루타가 뭐예요?" 라고 묻는 사람들이 별로 없다. 유대인식 토론법인 하브루타가 매스컴이나 학교 교육 등에서 많이 언급되고 알려져서 그렇게 된 것 같다. 유대인들의 성공 교육법, 하브루타가 처음 한국에 알려진지 이제 5년도 채 안 된다. 그만큼 하브루타에 대한 사람들의 관심은 엄청났다고 볼 수 있다.

하브루타를 모르는 사람은 거의 없는데 하브루타를 한다고 말하는 사람도 거의 없다. 이상하지 않을 수 없다. 유대인들은 하브루타로 성공의 삶을 살게 되었다고 알았음에도 왜 우리는 하브루타를 하지 않고 있는 것일까?

그것은 하브루타가 무엇인지는 아는데 어떻게 해야 하는지 그 방법에 대해서는 모르기 때문이다. 또한 하브루타를 할 수 있는 교재의 부재도 이에 한 몫을 했다.

하브루타가 처음 한국에 상륙했을 때부터 지금까지 5년간 하브루타로 즐거운 배움이 일어나길 바라는 저자의 마음은 간절했다. 그래서 그러한 마음을 담아 하브루타를 실제로 쉽게 해보기 원하는 사람들에게 쉬운 내용과 간단한 질문으로 하브루타 나눔을 할 수 있도록 이 책을 출간하게 되었다.

하브루타가 가능하려면 먼저 택스트가 필요한데 이 책에서는 특별히 지혜가 가득 담긴 고전을 택했다. 바로 이솝우화이다. 아이부터 어른까지 누구나 재미있게 읽고 나눌 수 있는 내용으로 하브루타를 처음 하는 분들이라면 도움이 클 것이다.

이 책을 가지고 가족끼리, 아이들끼리 해보면 이솝우화를 넘어 동양 고전이나 시사, 역사 등 다양한 컨텐츠로 하브루타를 할 수 있게 될 것이다.

막연하기만 했던 하브루타가 이제 실재가 되는 가장 탁월한 "이솝우화 하브루타"

이 책을 통해 가족끼리 아이끼리 웃음꽃이 만발한 토론의 장을 펼쳐 보기 바란다

이솝우화로 만나는 하브루타 생각 **공저자**

차례

하브루타는

#함께 · #질문 · #대화

입니다.

이야기1

제우스와 거북이

어떠한 삶이 더 좋은걸까?

제우스 신이 결혼을 하게 되었다. 신부를 즐겁게 해 주기 위해 화려하고 웅장한 결혼식을 준비하고 결혼식에 모든 동물들을 초대했다. 그런데 결혼식 당일 유일하게 거북이만 참석하지 않았다. 제우스 신은 거북이를 찾아가 결혼식에 오지 않은 이유를 물었다. 그러자 거북이는 이렇게 대답했다.

"저는 제 집에 있는게 좋습니다. 누추하고 초라하지만 내 집만한 곳이 없습니다."

이 말에 화가난 제우스 신은 거북이에게 큰 등껍질을 씌워 평생동안 집을 들고 다니게 만들어 버렸다.

다른 이의 호화로운 생활을 보는 것보다
누추하지만 제집에서의 편안한 삶이 더 낫다.

생각 나누기

1. 거북이가 생각하는 편안함은 무엇일까?

2. 거북이는 제우스의 저주로 집을 들고 다니게 된 것에 대해 어떻게 느낄까?

질문 만들기

생각 정리하기

이야기2

두 마리의 염소

양보를 하지 않으면 어떻게 될까?

험한 산비탈에서 각자 즐겁게 뛰놀던 염소 두 마리가 거센 바람이 불어 닥치는 깊은 산골짜기를 사이에 두고 서로 마주쳤다. 두 염소 사이의 산골짜기에는 쓰러진 통나무 하나만이 다리처럼 놓여 있었다.

통나무는 폭이 너무 좁아 다람쥐 두 마리가 함께 건너기에도 위험해 보일 정도였다. 용감한 동물마저 그 위에 서면 두려움에 떨 것만 같았다. 하지만 이 자존심 강한 염소 두 마리는 달랐다. 건너편에 있는 녀석 때문에 길을 비켜 준다는 것은 상상조차 못하는 녀석들이었다.

곧 둘 중 한 녀석이 통나무에 발을 올려놓았다. 그러자 다른 녀석도 통나무에 발을 올렸고 그렇게 둘은 통나무 한가운데에서 뿔을 맞대게 되었다. 하지만 둘 다 한 치도 양보하지 않았다. 결국 두 염소는 모두 아래로 떨어져 울부짖는 산바람에 휩쓸리고 말았다.

한쪽에서 양보를 하게 되면 불행을 피할 수 있다.

생각 나누기

1. 두 염소는 왜 양보를 하지 못했을까?

2. 아래로 떨어졌지만 간신히 살게 된 두 염소가 다시 통나무에서 만난다면 양보를 하게 될까?

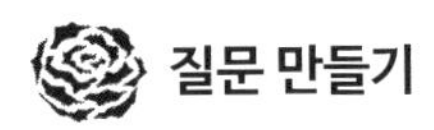

질문 만들기

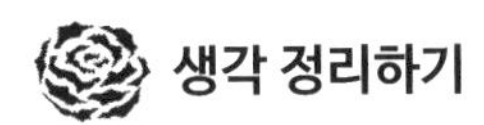

생각 정리하기

이야기3

여우와 사자

지나친 친밀감은 어떤 결과를 가져올까?

사자를 전혀 본 적이 없는 어린 여우가 숲 속에서 사자와 맞닥뜨렸다. 어린 여우는 사자를 보자마자 겁을 집어먹고는 몸을 날려 가까이 있는 은신처로 숨어들었다.

그렇지만 두 번째로 사자를 보았을 때 어린 여우는 나무 뒤에 숨어서 사자를 잠깐 훔쳐보고는 슬그머니 도망쳤다.

그리고 사자를 세 번째로 보았을 때, 어린 여우는 사자의 머리 꼭대기에 겁도 없이 올라가서는 이렇게 말했다.

"안녕하세요. 어르신."

지나친 친숙함은 해를 자초한다.

생각 나누기

1. 어린 여우는 왜 친숙함의 표현을 겁도 없이 사자의 머리 꼭대기에 올라가서 했을까?

2. 어린 여우가 친숙함에서 한 행동을 보고 사자는 어떻게 느꼈을까?

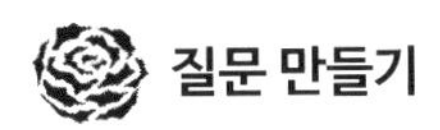

질문 만들기

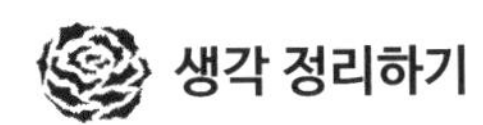

생각 정리하기

이야기4

원숭이와 고양이

상대의 꾀에 넘어가게 될 때의 결말은?

옛날 옛적에 고양이와 원숭이가 한 집에서 반려동물로 살고 있었다. 둘은 죽이 잘 맞아서 함께 별의별 장난을 치면서 집 안을 돌아다녔다. 장난을 치지 않을 때에는 수단과 방법을 가리지 않고 먹을 것을 찾아다녔다.

그러던 어느 날, 고양이와 원숭이는 함께 불을 쬐다가 난로 안에서 밤이 익어 가는 것을 보았다. 문제는 밤을 불 속에서 꺼내는 방법이었다. 그래서 꾀 많은 원숭이가 말했다.

"할 수만 있다면 내가 꺼내고 싶네. 하지만 네가 나보다 훨씬 잽싸잖아. 그러니까 네가 저 난로 안의 밤을 꺼내 줘. 그러면 내가 서로의 몫을 나눌게."

그 말을 듣고 고양이는 앞발을 조심스럽게 내밀어 잿더미를 조금 밀어내고는 잽싸게 발을 뺐다. 그러고는 또다시 발을 집어넣어 밤 한 개를 불에서 반쯤 빼냈다. 그리고 다시 한 번 발을 집어넣어 밤을 완전히 불 속에서 빼냈다. 하지만 매번 고양이가 발을 데어 가면서 밤을 한 개씩 꺼낼 때마다 원숭이는 꺼낸 밤을 죄다 먹어 치워 버렸다.

그러다가 주인이 난롯가로 다가오자, 장난꾸러기 원숭이와 고양이는 그 자리에서 도망쳤다. 하지만 고양이는 발만 데고 밤은 구경조차 하지 못했다. 들리는 말에 의하면, 바로 그때부터 고양이가 원숭이 대신 생쥐를 가지고 노는 것으로 만족하게 되었다고 한다.

꾀를 부리는 자는 당신으로부터 이익을 얻고자 한다.

생각 나누기

1. 고양이가 원숭이의 꾀에 넘어간 이유는 무엇일까?

2. 이 사건 이후 고양이는 생쥐를 가지고 놀게 되었는데, 원숭이는 누구를 가지고 놀게 되었을까?

질문 만들기

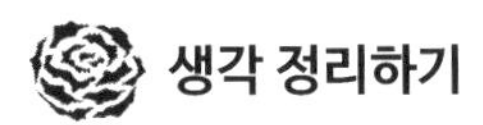

생각 정리하기

이야기5

파리 떼와 벌꿀

순간의 쾌락을 따라가게 된다면?

어느 날, 벌꿀이 든 병이 흔들렸다. 그 바람에 안에 있던 달콤하고 끈적거리는 꿀이 식탁에 쏟아졌다. 곧 대단히 많은 파리 떼가 그 달콤한 냄새를 맡고 몰려들었다. 공짜 잔치에 초대장 같은 것은 필요 없었다.

파리 떼는 걸신들린 것처럼 달려들어 실컷 꿀을 빨아먹었다. 하지만 그 바람에 머리부터 발끝까지 온몸이 꿀로 적셔져 날개까지 붙어 버리고 말았다. 결국 파리 떼는 달콤한 꿀 때문에 그 자리에서 말라죽었다.

한순간의 쾌락에 빠지지 마라,
그 쾌락 때문에 스스로 파멸할 것이다.

생각 나누기

1. 온몸이 꿀로 적셔져 날지 못하게 된 파리 떼들은 꿀을 먹는 동안 어떤 대화를 했을까?

2. 파리 떼가 꿀에 붙어 말라 죽지 않고 꿀을 먹고 나갈 수 있는 방법은 무엇일까?

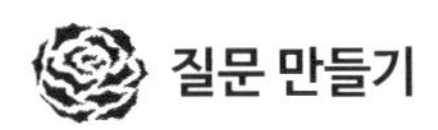

질문 만들기

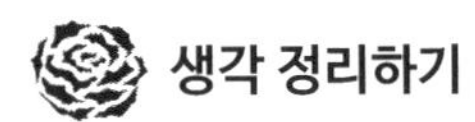

생각 정리하기

이야기6

늑대와 염소

계산된 호의를 구분할 줄 안다면?

몹시 굶주린 늑대 한 마리가 가파른 절벽 꼭대기에서 풀을 뜯고 있는 염소를 발견했다. 절벽이 너무 높은 탓에 늑대는 아무리 애를 써도 염소를 잡을 수 없었다. 그래서 늑대는 염소의 안위를 걱정하는 척하며 이렇게 외쳤다.

“거기에 있으면 위험하잖아"? 떨어지면 어쩌려고 그래! 내 말 듣고 얼른 내려와. 여기, 세상에서 가장 부드럽고 좋은 풀이 널려 있어.”

그러자 염소는 절벽 끝에서 늑대를 내려다보며 말했다.

“날 그렇게까지 걱정해 주다니. 거기에 내가 먹는 풀까지 걱정하다니! 친절도 하셔라. 하지만 난 당신을 잘 알아. 당신이 진짜 걱정하는 건 내가 아니라 당신의 배고픔이잖아!”

자기 욕심만 채우려고 하는 호의는 받아들이지 마라.

생각 나누기

1. 염소는 어떻게 늑대의 호의가 거짓인 것을 알았을까?

2. 이 상황에서 늑대가 호의를 베푼다면 어떤 호의를 베풀 수 있을까?

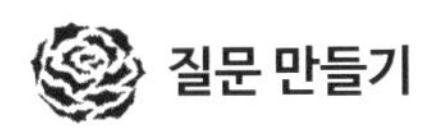

질문 만들기

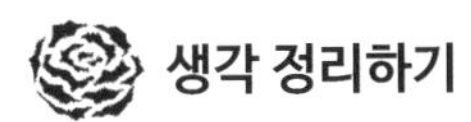

생각 정리하기

이야기7

황금 알을 낳는 거위

욕심이 지나치게 되면?

옛날 옛적에 어떤 촌뜨기가 살고 있었다. 그는 아주 훌륭한 거위를 가지고 있었는데, 이 거위는 매일 아름답게 빛나는 황금 알을 하나씩 낳았다. 촌뜨기는 황금 알을 시장에 내다 팔면서 곧 부자가 되었다. 하지만 얼마 지나지 않아 초조해지기 시작했다. 거위가 하루에 황금 알을 한 개밖에 낳지 않았기 때문이다. 이래서야 그는 더 빨리 부자가 될 수 없었다.

그래서 어느 날, 촌뜨기는 돈을 전부 세고 나서 생각했다.

'거위를 죽여 배를 가르면 그 속의 황금 알을 한꺼번에 꺼낼 수 있을 거야.'

하지만 그가 정말로 거위의 배를 갈랐을 때, 그 안에는 황금 알 비슷한 것도 없었다. 결국 그는 귀한 거위만 죽이고 말았다.

사람은 욕심은 끝이 없고 더 많은 것을 가지려하지만
결국 다 잃어버리게 된다.

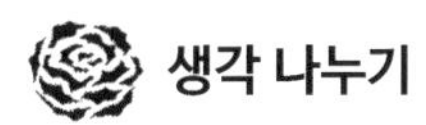

생각 나누기

1. 만약 촌뜨기가 다시 황금알을 낳는 거위를 가지게 된다면 이번엔 어떻게 할까?

2. 촌뜨기가 거위 배를 가르는 방법 말고 황금알을 더 얻을 수 있는 방법은 무엇일까?

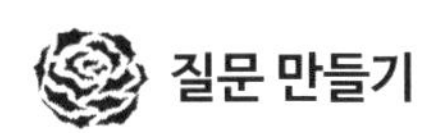

질문 만들기

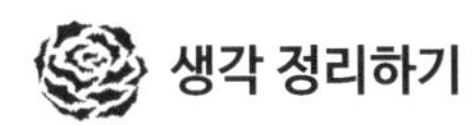

생각 정리하기

이야기8

개의 무리와 여우

약해진 강자를 공격한다고 무슨 유익이 있을까?

개 몇 마리가 사자의 가죽을 발견하고는 이빨로 물어뜯었다. 그 광경을 보고 여우는 개들을 비웃었다.

"그 사자가 살아 있으면 어쩔 뻔했어. 아마 너희들의 것보다 훨씬 더 날카로운 이빨과 발톱에 혼쭐이 나고 있었을걸?"

힘을 잃은 자를 괴롭히는 것은 야비한 짓이다.

생각 나누기

1. 여우는 왜 사자의 가죽을 물어 뜯지 않았을까?

2. 개들은 왜 사자의 가죽을 물어 뜯었을까?

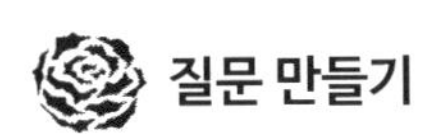

질문 만들기

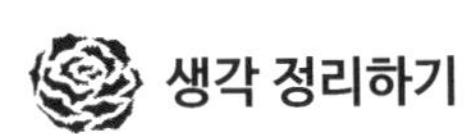

생각 정리하기

이야기9

농부와 여우

원수에게 복수를 하는 것이 최선일까?

어떤 농부가 밤마다 마당에 내려와 닭과 오리를 잡아가는 여우 때문에 화가 났다. 그래서 덫을 쳐서 여우를 잡은 다음, 복수를 한답시고 여우의 꼬리에 나뭇가지를 매달아 불을 붙이고는 여우를 놓아주었다.

그런데 공교롭게도 여우는 곧 추수해야 할 잘 익은 옥수수가 널린 밭으로 곧장 달려갔다. 잘 익은 옥수수 밭은 순식간에 불길에 휩싸였다. 그리고 농부는 한 해 동안 애써 기른 옥수수를 전부 잃었다.

복수란 양날의 검과 같은 것이다.

생각 나누기

1. 이 사건 이후 꼬리가 불에 탄 여우는 어떻게 행동을 했을까?

2. 농부가 어떻게 했으면 여우가 더 이상 닭과 오리를 잡지 않았을까?

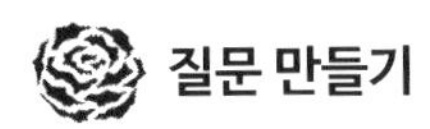

질문 만들기

생각 정리하기

이야기10

늑대와 양치기

방심이 가져온 결과는?

어떤 늑대 한 마리가 오랫동안 양 떼 주위를 어슬렁거리고 있었다. 양치기는 조마조마해하며 양 떼를 지켰지만 늑대는 아무 짓도 하지 않았다. 오히려 양치기가 양 떼 돌보는 것을 도와주는 것처럼 보였다. 마침내 양치기는 늑대에게 친숙해져 늑대의 사악한 본성마저 잊고 말았다.

그러던 어느 날, 양치기는 늑대에게 양 떼를 맡긴 채 심부름을 하러 멀리 떠났다. 하지만 그가 돌아왔을 때, 늑대는 이미 많은 수의 양을 죽이거나 끌고 가버린 후였다. 양치기는 늑대를 믿은 것을 아무리 후회해도 소용이 없었다.

방심은 금물이다.
항상 긴장하며 살아가야 한다.

생각 나누기

1. 양치기는 왜 방심하게 되었을까?

2. 왜 늑대는 처음에 양을 바로 잡지 않고 양치기를 도와 주는 모습을 보였을까?

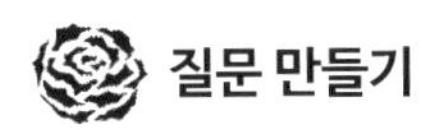

질문 만들기

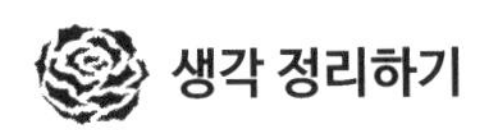

생각 정리하기

이야기11

곰과 벌 떼

화가 날때 참지 못하게 된다면?

나무 열매를 찾아 숲속을 헤매던 곰 한 마리가 고목 한 그루를 발견했다. 나무의 빈 속에는 벌들이 둥지를 틀고 꿀을 저장해 두었다. 곰은 그것을 보고 벌들이 집에 돌아왔는지 조심스럽게 살펴보았다. 바로 그때, 벌 떼 중 일부가 클로버 밭에서 채집한 꿀을 가지고 집으로 돌아왔다. 그러고는 나무를 살피는 곰을 발견했다. 벌들은 곰이 꿀을 훔치려는 것을 알고 그를 날카로운 독침으로 쏘았다. 그리고 빈 고목 안의 둥지로 사라졌다.

벌에 쏘인 순간 화가 머리끝까지 난 곰은 둥지를 부수려고 이빨과 발톱으로 고목을 내리치기 시작했다. 하지만 그 때문에 둥지에 살던 벌들이 전부 쏟아져 나왔다. 결국 불쌍한 곰은 벌 떼에 쫓겨 헐레벌떡 물속으로 뛰어들었다.

순간의 화를 참지 못하게 되면 더 큰 화를 당할 수 있다.

생각 나누기

1. 벌들은 꿀을 훔치려는 곰에게 독침으로 쏘는 방법 외에는 벌 꿀을 지킬 수 있는 방법이 없었을까?

2. 곰이 순간적인 화를 누르고 지혜를 발휘했다면 어떤 방법으로 꿀을 얻었을까?

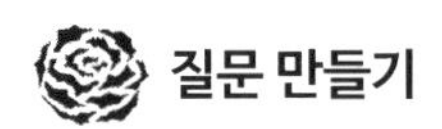

질문 만들기

생각 정리하기

이야기12

목욕하던 소년

무엇이 우선순위일까?

어떤 소년이 강에서 목욕을 하다가 발이 미끄러졌다. 강 깊은 곳에 빠진 소년은 자칫하면 물에 빠져 죽을 수도 있었다. 그때 근처의 길을 지나던 남자가 소년의 목소리를 들었다. 그러고는 강둑으로 다가오더니 물에 빠진 소년을 구해주기는커녕 오히려 조심성이 없다며 나무라기 시작했다. 결국 소년은 참지 못하고 소리쳤다.

"아저씨, 제발요. 일단 저 좀 구해 주세요. 혼내시는 건 그다음에 해도 되잖아요."

모든 일에는 그 순서가 있는 것이다.

생각 나누기

1. 남자는 어떤 마음에서 소년을 혼내고 있을까?

2. 만약 남자가 혼내느라 소년이 물에 빠져 죽었다면 남자에게는 아무런 책임이 없을까?

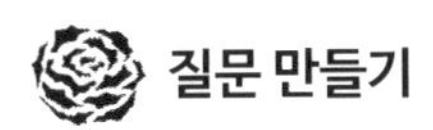

질문 만들기

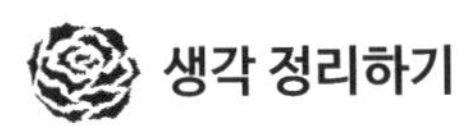

생각 정리하기

이야기13

독수리와 갈까마귀

허영심에 빠지게 되면 어떤 결과가 나타날까?

독수리 한 마리가 기세 좋게 날개를 퍼덕이며 양 한 마리를 낚아채서는 둥지를 향해 날아올랐다. 이 광경을 본 갈까마귀는 그만자기가 독수리만큼 크고 강하다는 어리석은 생각을 했다. 그래서 갈까마귀도 날개를 퍼덕이고 바람을 일으키며 커다란 양의 등짝을 발톱으로 붙잡았다. 하지만 발톱이 양털에 얽히는 바람에 갈까마귀는 다시 날아오를 수가 없었다. 아무리 애를 써도 양은 들리기는커녕 그의 기척조차 느끼지 못하는 것 같았다.

이때 양치기가 퍼덕이는 갈까마귀를 보았다. 어떻게 된 일인지는 뻔했다. 그는 양에게 다가가 퍼덕이는 갈까마귀를 잡고는 날개를 묶었다. 그리고 그날 밤, 그 갈까마귀를 자기 아이들에게 주었다.

아이들이 웃으며 말했다.

"참 웃긴 새네요. 이 새 이름이 뭐예요, 아버지? "

그러자 아버지가 대답했다.

"갈까마귀란다. 하지만 이 새는 자기를 독수리라고 불러 줬으면 할걸. "

허영심에 사로잡혀 스스로를 과대평가하지 마라.

생각 나누기

1. 독수리를 본 갈까마귀는 왜 자기가 독수리와 같다고 생각했을까?

2. 사람들에게 잡힌 갈까마귀는 이후에도 자신이 독수리라고 생각했을까?

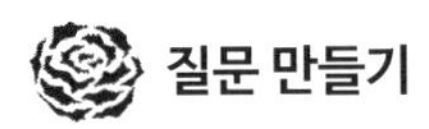

질문 만들기

생각 정리하기

이야기14

양의 거죽을 뒤집어쓴 늑대

나쁜 짓을 하게 되면 그에 따른 벌을 받게 된다?

어떤 늑대가 양치기들의 감시 때문에 양을 잡아먹지 못하고 있었다. 그렇게 배고픔에 지쳐 가던 어느 날 , 늑대는 버려진 양 거죽을 발견했다. 다음 날 늑대는 그 양 거죽을 입고서 초원으로 내려와 양들 틈에 섞였다. 그러고는 자신을 따라오던 새끼 양을 조용한 곳으로 끌고가서 잡아먹었다.

그리고 그날 저녁에는 양 떼와 함께 울타리 안으로 들어갔다. 그런데 그날따라 양고기 국물이 먹고 싶어진 양치기가 칼을 들고 울타리에 들어와 양을 잡았다. 하지만 정작 그가 잡은 것은 양이 아니라 양의 거죽을 쓴 늑대였다.

나쁜 짓을 하게 되면 그것에 합당한 대가를 치르게 된다.

생각 나누기

1. 늑대가 양 가죽을 입고 양들 틈으로 들어간 이유는 무엇일까?

2. 양을 잡으려다 늑대를 잡은 양치기가 늑대를 보며 무슨 생각을 했을까?

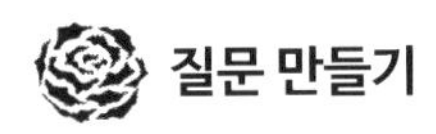

질문 만들기

생각 정리하기

이야기15

아기 게와 엄마 게

내가 할 수 없는 일이라면?

엄마 게가 아기 게에게 말했다.

"대체 넌 왜 그렇게 옆으로만 걷는 거니? 발을 이렇게 앞으로 내밀고 똑바로 걸어야지!"

그 말에 아기 게가 공손히 대답했다.

"그럼 엄마, 걷는 방법을 알려 주세요. 똑바로 걷는 법을 보고 배울 게요."

그래서 엄마 게는 똑바로 걸어 보려고 애쓰고 또 애썼다. 하지만 엄마 게도 아기 게처럼 옆으로밖에 걸을 수 없었다. 그래서 엄마 게는 발을 앞으로 내밀어 보려다가 그만 발이 꼬여서 넘어지고 말았다.

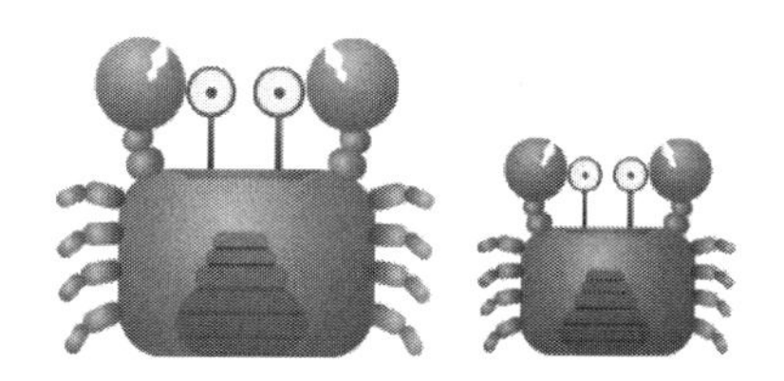

할 수 있는 것을 경험해보고 훈수를 두어라.

생각 나누기

1. 엄마 게는 왜 자신도 되지 않는 것을 아기 게에게 요구했을까?

2. 왜 엄마 게는 앞으로 걸어 본 적도 없으면서 아기 게의 말에 앞으로 걸으려다 망신을 당했을까?

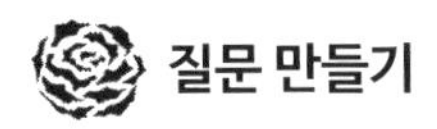

질문 만들기

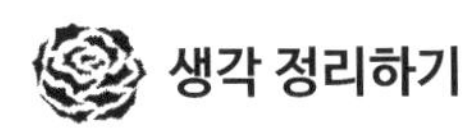

생각 정리하기

이야기16

수사슴과 포도나무

은혜에 감사할 줄 모른다면?

사슴 한 마리가 사냥꾼에게 쫓기다가 무성하게 자란 포도나무 밑에 몸을 숨겼다. 그를 놓친 사냥꾼들은 포도나무 밑에 숨은 수사슴을 찾아내지 못하고 그 옆을 지나쳤다. 그렇게 위험이 사라지자 수사슴은 포도나무 잎을 하나씩 뜯어먹기 시작했다.

하지만 그때, 잎사귀가 바스락거리며 사냥꾼들의 주의를 끌고 말았다. 곧 그들 중 한명이 포도나무 아래 숨은 동물을 잡으려고 되는 대로 화살을 쏘았다. 운 없는 수사슴은 심장에 화살을 맞았고, 서서히 죽어 가며 이렇게 말했다.

"날 보호해 주던 잎사귀를 먹으려고 생각하다니, 역시 난 죽어도 싸."

은혜를 입었음에 감사한 마음을 갖지 못한 것으로
화를 당할 수 있다.

생각 나누기

1. 수사슴이 포도나무 잎을 뜯어 먹을 때 포도나무의 마음은 어땠을까?

2. 은혜를 알면서도 수사슴은 왜 잘못을 저지르게 되었을까?

질문 만들기

생각 정리하기

이야기17

플라타너스

감사의 조건은 어디에나 있을까?

여행자 두 명이 정오의 땡볕 아래를 걷고 있었다. 이들은 넓고도 짙은 나무 그늘 밑에서 잠시 쉬어 가기로 했다. 둘은 그늘 아래에 앉아 나무를 올려다보았다. 그러고는 그 나무가 플라타너스라는 것을 알고, 여행자 중 한 명이 말했다.

"플라타너스라니, 참 쓸모없지! 열매는 열리지도 않는 나무에서 낙엽은 또 얼마나 떨어지는지."

그러자 마치 대답이라도 하듯 플라타너스로부터 목소리가 들려왔다.

"은혜도 모르는 것들 같으니! 내 그늘 밑에 누워 땀을 식히면서 나를 쓸모없다고 하다니! 제우스여, 인간이란 정말 어떠한 축복도 감사히 받을 줄 모르는 것들이군요 ! "

사람들은 종종 감사한 이유를 찾지 못한다.

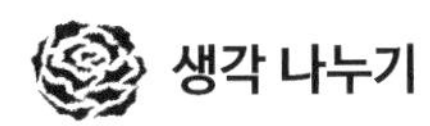

생각 나누기

1. 여행자들이 플라타너스에게 감사했다면, 플라타너스는 어떤 말을 했을까?

2. 플라타너스의 분노를 들은 제우스는 어떻게 했을까?

질문 만들기

생각 정리하기

이야기18

원숭이와 낙타

나는 모든 것을 할 수 있을까?

백수의 왕, 사자를 위해 큰 잔치가 열렸다. 그곳에서 원숭이가 함께 온 이들을 위해 춤을 추게 되었다. 그는 정말로 춤을 잘 추었고 모든 동물이 그의 우아하고도 가벼운 몸놀림을 보며 기뻐했다.

하지만 낙타는 원숭이의 춤을 보면서 질투를 느꼈다. 그는 자기가 최소한 원숭이만큼은 춤을 출 수 있다고 자신했다. 그래서 그는 원숭이 주위에 모여 있는 동물들의 틈을 비집고 들어가 뒷다리를 들어 올리며 춤을 추기 시작했다. 그런데 낙타가 굳은 마디 박힌 다리를 들어 올리고 기다란 목을 휘두르며 춤을 추는 모습은 아주 우스웠다. 게다가 낙타가 발굽으로 사방을 휘젓고 다니는 바람에 동물들은 제대로 발붙이고 있기도 힘들었다.

결국 낙타는 제대로 사고를 치고 말았다. 그 큰 발굽으로 사자의 코 끝을 때릴 뻔한 것이다. 모여 있던 동물들은 화가 나서 함께 낙타를 붙잡아 사막으로 데려갔다. 그리고 잠시 후 , 낙타의 혹과 갈비로 만든 음식을 사이좋게 나누어 먹었다.

내가 할 수 없는 것에 욕심을 내지 말아라.

 생각 나누기

1. 낙타는 왜 하필 원숭이의 춤을 질투하게 되었을까?

2. 낙타의 실수에 사자도 가만히 있는데 왜 다른 동물들이 화가나서 좋지 않은 일을 행했을까?

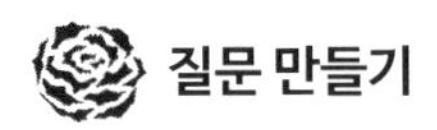 질문 만들기

 생각 정리하기

이야기19

엄마와 늑대

순진한 건가? 바보인 건가?

어느 날 아침, 배고픈 늑대 한 마리가 마을 끝자락에 있는 오두막집 주변을 어슬렁거리고 있었다. 오두막집 안에서는 아이의 울음소리가 들려왔다. 그러자 엄마는 아이를 달래려고 이렇게 말했다.

"아가, 조용! 그만 울어. 아니면 늑대한테 던져 줄 거야?"

늑대는 공짜 먹이를 준다는 말을 듣고 펄쩍 뛸듯이 기뻤다. 그래서 오두막의 열린 창 아래에 자리를 잡고 앉아 아이가 그 밑으로 떨어질 때만을 기다렸다. 하지만 아무리 아이가 칭얼대도 엄마는 아이를 창밖으로 던지지 않았다.

그러다가 저녁때가 가까워졌다. 엄마는 이제 창가에 앉아서 아이에게 자장가를 불러 주기 시작했다.

"자장, 자장, 우리 아가. 이제 늑댄 오지 않아. 저기 아빠가 돌아와서 늑대가 오면 잡을 거야."

바로 그 순간 아버지가 사냥개를 데리고 집으로 돌아오는 모습이 눈에 띄었다. 늑대는 간신히 사냥개들을 피해 도망쳤다.

들리는 말을 곧이곧대로 전부 믿지 마라.

생각 나누기

1. 왜 엄마는 아기에게 계속 울면 늑대에게 던져 줄 것이란 말을 했을까?

2. 늑대는 왜 엄마의 말을 있는 그대로 믿었을까?

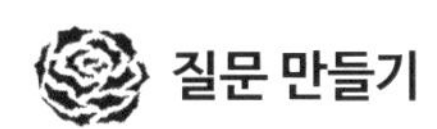

질문 만들기

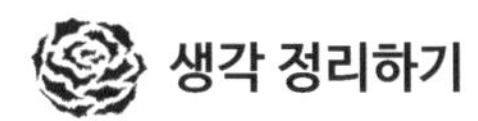

생각 정리하기

이야기20

주인의 저녁 식사 도시락을 나르던 개

유혹을 이겨낼 수 있을까?

어떤 개 한 마리가 매일 저녁 그의 주인에게 식사를 가져가는 법을 배웠다. 이 개는 물고 있는 도시락 안의 맛있는 음식 냄새 때문에 가끔 흔들리기는 했지만 충실하게 임무를 수행했다.

그러던 중 같은 동네에 살던 개들이 그가 도시락을 문 모습을 보게 되었다. 그리고 그 안에 맛있는 음식이 들어 있다는 것도 알게 되었다. 그들은 몇 번이고 도시락 안의 음식을 훔치려고 했지만 도시락을 나르던 개는 충성스럽게 주인의 저녁 식사를 지켜냈다.

그러던 어느 날, 평소처럼 도시락을 문 개가 길을 가는데 동네 개들이 모두 나와 그의 앞을 가로막았다. 도시락을 문 개는 도망치려 했지만 별 소용이 없었다. 결국 그는 동네 개들과 말다툼을 시작했고, 동네 개들은 도시락을 문 개를 설득하는데 성공했다. 그는 주인의 도시락을 떨어트려 그 안에서 커다란 고기 덩어리를 꺼내고는 이렇게 말했다.

"알았어. 이건 내꺼야. 나머지는 알아서 나눠 먹으라고."

끊임없는 유혹과 싸워 이기는 것이 진정한 승리이다.

생각 나누기

1.고기 덩어리는 자기가 먹고 나머지를 나눠 먹으라는 개의 말에 동네 개들은 어떤 반응을 보였을까?

2.주인의 도시락을 먹어버린 개는 어떻게 되었을까?

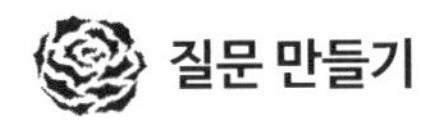

질문 만들기

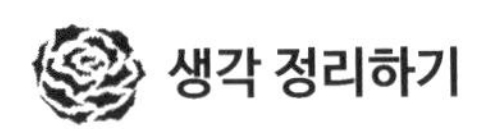

생각 정리하기

이야기21

개와 굴

성급한 행동의 결과는?

옛날 옛적에 달갈을 매우 좋아하는 개 한 마리가 살고 있었다. 이 개는 종종 닭장에 들어가서는 달걀을 통째로 삼켜 버리곤 했다.

그러던 어느 날, 개가 바닷가를 산책하던 중 굴을 하나 보았다. 개는 굴까지 달걀처럼 허겁지겁 껍질째 삼켜 버렸다. 하지만 당연히 굴 껍질은 개의 배 속을 긁어 댔고 개는 배가 몹시 아파 이렇게 울었다.

"둥그렇다고 다 달걀이 아니구나! 처음 알았어."

성급한 행동은 고통과 후회를 부른다.

생각 나누기

1. 개가 성급하게 행동하게 된 이유는 무엇일까?

2. 이 사건 이후 개는 행동하기 전에 어떠한 행동의 변화를 보이게 될까?

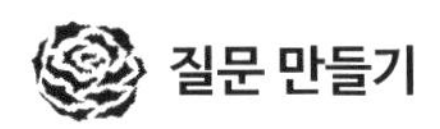

질문 만들기

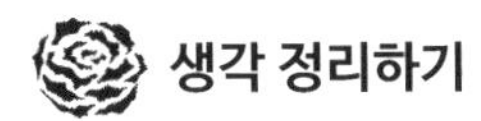

생각 정리하기

이야기22

까마귀와 백조

바꿀 수 없는 것을 바꾸려고 하게 되면?

모두 알다시피 까마귀는 석탄처럼 까만 깃털을 하고 있다. 그런데 어느 날, 이 까마귀가 백조의 눈처럼 새하얀 깃털을 탐내게 되었다. 그래서 매일 수영을 하고 물풀과 갈대를 먹기로 했다. 이렇게 하면 자신의 깃털도 백조처럼 하얘질 수 있을 거라는 생각을 한 것이다.

그래서 그는 숲 속의 집을 떠나 습지에 있는 연못으로 이사를 했다. 하지만 물에 빠져 죽기 직전까지 하루 종일 목욕을 해도 그의 깃털은 여전히 석탄처럼 검었다. 입에 맞지도 않는 물풀 때문에 배탈이 나고 고생을 해도 마찬가지였다. 결국 이 까마귀는 하얀 깃털을 얻기는커녕 앙상하게 말라 죽고 말았다.

습관을 바꾼다고 본성까지 바뀌지는 않는다.

생각 나누기

1. 까마귀는 왜 백로가 되고 싶었을까?

2. 만약 백로가 까마귀가 되고 싶다면 어떤 행동을 했을까?

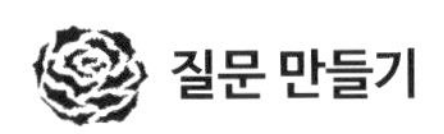

질문 만들기

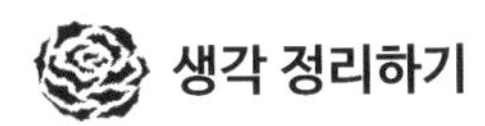

생각 정리하기

이야기23

토끼들과 개구리들

내가 가장 불행한 것일까?

모두 아시다시피 토끼는 겁이 많은 동물로, 한 조각 그림자만 보아도 겁에 질려 숨곤 한다. 그러던 어느 날, 토끼들은 이렇게 비참하게 살 바에야 차라리 죽겠다고 다짐했다.

하지만 어떻게 죽을지 논쟁을 벌이던 도중, 어디선가 이상한 소리가 들려왔다. 그들은 살던 우리를 향해 달리기 시작했고, 그러다 연못 하나를 지나쳤다. 그 연못가에 있는 갈대숲에는 개구리 한 무리가 앉아 있었다. 이 개구리들은 다가오는 토끼들을 보고 놀라서는 진흙탕으로 숨어들었다. 그 모습을 보고 토끼 한 마리가 이렇게 외쳤다.

“이것 봐. 우리도 그리 끔찍한 신세는 아닌가 봐. 우리 같은 것들을 무서워하는 동물도 다 있으니 말이야!”

자신이 가장 불행해 보이지만
나보다 더 불행한 사람도 있기 마련이다.

생각 나누기

1. 개구리를 보고는 누가 놀라 숨을까?

2. 이 사건 이후 토끼는 어떤 마음으로 살게 될까?

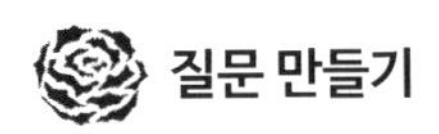

질문 만들기

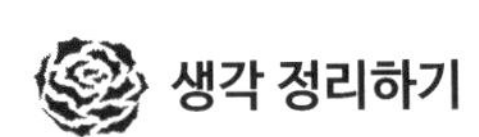

생각 정리하기

이야기24

사자와 곰과 여우

양보없는 싸움의 결과는?

거대한 곰이 길 잃은 아기 염소 한 마리를 덮치려고 했다. 그때 다른 곳에서 사자 한 마리도 그 아기 염소를 보고 달려왔다. 결국 곰과 사자는 염소를 두고 싸우다가 상처만 잔뜩 입은 채 지쳐 쓰러졌다.

바로 그 순간, 여우 한 마리가 나타나서는 아기 염소를 가로채더니 쏜살같이 도망쳤다. 사자와 곰은 그 광경에 몹시 화가 났지만 지쳐서 아무것도 할 수 없었다. 그들은 이렇게 말했다.

"이렇게 싸우느니 차라리 사이좋게 염소를 나눠 가질걸!"

양보 없는 싸움은 결국 모두에게 손해를 가져오게 된다.

생각 나누기

1. 사자와 곰이 싸울 때 아기 염소는 어떤 마음으로 그 싸움을 지켜 보고 있었을까?

2. 이 사건 이후로는 사자와 곰은 먹이를 놓고 다시는 싸우지 않았을까?

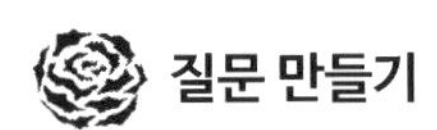

질문 만들기

생각 정리하기

이야기25

새장 속의 새와 박쥐

뒤늦게 대처하는 것이 어떤 의미가 있을까?

어떤 목소리 고운 새가 창밖의 새장 속에 갇혔다. 그런데 신기하게도 다른 새들이 전부 잠든 밤에만 노래를 부르는 습관이 있었다.

어느 날 밤, 박쥐 한 마리가 날아와 새장의 창살 위에 앉았다. 그러고는 새에게 왜 낮에는 가만히 있으면서 밤에만 노래를 부르냐고 물어보았다. 새는 이렇게 대답했다.

"사실은 이유가 좀 있어요. 저도 한때는 낮에 노래를 불렀지요. 그런데 어느 날인가 새 사냥꾼이 제 노랫소리를 듣고는 그물을 쳐서 저를 잡았지 뭐예요. 그래서 그때부터 밤에만 노래를 부르기로 했어요."

그 사연을 듣고 박쥐는 이렇게 대답했다.

"하지만 이제 갇힌 몸이 되어 그렇게 하면 뭐 하나요? 잡히기 전부터 그렇게 조심했다면 지금도 자유로울 수 있었잖아요."

이미 일어난 일 뒤에 그 원인을 바로잡는 것은 아무런 의미가 없다.

 **생각 나누기**

1. 만약 새가 밤에만 노래를 불렀다면 사람에게 붙잡히지 않았을까?

2. 새장에 갇힌 새가 밖으로 나가게 된다면 그 새는 밤에만 노래를 부르게 될까?

 **질문 만들기**

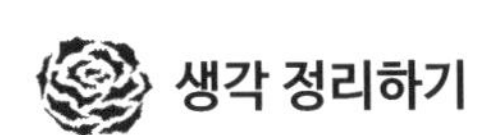 **생각 정리하기**

이야기26

한쪽 눈이 먼 수사슴

위험이 어디서 오는지 예상 할 수 있을까?

한쪽 눈이 먼 수사슴이 성한 눈은 들판을 향하게 하고, 멀어 버린 눈은 바다로 향한 채 풀을 뜯고 있었다. 이렇게 하면 들판에서 사냥개 가다가오는 것을 볼 수 있을지도 모른다고 생각했다. 그러나 그는 바다로부터 위험이 시작되리라고는 전혀 예상하지 못했다.

그 바람에 해안에 배를 댄 뱃사람들이 자신에게 화살을 쏴서 죽일 때까지 위험을 알아챌 수 없었다. 그래서 수사슴은 죽어 가면서 이렇게 혼잣말을 했다.

"참 어리석었어! 들판의 위험만을 살피느라 바다에서 목숨을 노리는 줄도 몰랐다니."

위험은 전혀 생각하지 못한 곳에서 다가온다.

생각 나누기

1. 만약 수사슴이 성한 눈으로 바다를 보고 있었다면 아무 사고도 일어나지 않았을까?

2. 수사슴이 들판과 바다 중 한 곳만 볼 수 밖에 없다면 어떻게 해야 마음을 놓고 풀을 뜯을 수 있을까?

질문 만들기

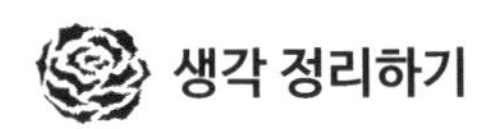

생각 정리하기

이야기27

우물에 빠진 개구리들

신중한 판단을 통해 결정한 일의 결과는?

어느 늪에 두 마리의 개구리가 함께 살고 있었다. 그런데 어느 더운 여름날, 그들이 살던 늪이 말라붙고 말았다. 개구리들은 그들이 지내기 좋을 만큼 축축한 곳을 새로 찾아야만 했다. 그러다 두 개구리는 깊은 우물가에 다다르게 되었다. 두 개구리들 중 하나가 우물 안을 들여다보고는 다른 개구리에게 말했다.

"시원하고 좋은 곳 같아. 여기 들어가서 자리를 잡자."

하지만 더 현명한 다른 개구리는 이렇게 대답했다.

"너무 서두르지 말자고, 친구. 만일 이 우물까지 우리가 살던 늪처럼 말라버리면 어떻게 다시 빠져나올 거야?"

모든 일을 할 때에는 그 일로 인해 발생할 수 있는
여러 경우를 생각해야 한다.

1. 만약 우물에 들어가 살게 되었다면 어떤 일들이 이들에게 일어났을까?

2. 신중한 개구리의 말에 다른 개구리는 어떤 마음이 들었을까?

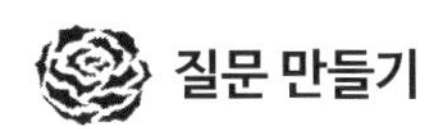

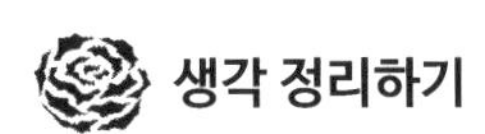

이야기28

아이들과 개구리들

나만 즐거우면 되는 것인가?

어느 날 개구리들이 사는 연못가에 아이들 몇 명이 놀러왔다. 아이들은 연못에 돌을 던지고 물수제비 뜨기도 하면서 재미있게 놀고 있었다. 하지만 빠르고도 묵직하게 날아가는 자갈을 보면서 불쌍한 개구리들은 두려움에 떨어야만 했다. 결국 가장 나이 많고 용감한 개구리 한 마리가 연못 밖으로 머리를 내밀고 말했다.

"얘들아, 제발 그 잔인한 놀이 좀 그만 두렴! 너희들은 돌을 던지는 게 재미있겠지만, 우리는 그 돌에 맞으면 죽어요!"

나의 즐거움이 다른 사람의 고통으로
느껴지지는 않는지 생각해 봐야 한다.

생각 나누기

1. 개구리의 말에 아이들은 어떤 마음이 들었을까?

2. 이 이야기 외에 아이들이 재미있게 노는 것 중에서 다른 이들에게 피해를 주는 것은 무엇이 있을까?

질문 만들기

생각 정리하기

이야기29

늑대들과 양

남의 말에 쉽게 흔들리게 된다면?

늑대 무리가 양 떼가 모인 목초지 근처를 지나게 되었다. 하지만 양 몰이 개 때문에 저 멀리로 돌아가야 했고, 양 떼들은 세상모르고 풀만 뜯어 먹고 있었다. 그러다 늑대 무리는 양 떼들을 속일만한 꾀를 한 가지 생각해 냈다. 그들은 양 떼를 향해 이렇게 말했다.

"왜 우리는 언제나 이렇게 싸워야만 할까요? 그건 양과 늑대들 사이에서 문제만 일으키는 개들 때문입니다. 저들만 없다면 양과 늑대 들은 훨씬 더 친분을 쌓을 수 있을 겁니다. 그러니 개들을 멀리 보내세요. 그리고 친구가 됩시다."

늑대들의 말에 양들은 깜박 속아 넘어가서는 개들을 멀리 보내 버렸다. 그리고 그 날 밤 , 늑대들은 목초지에서 최고의 만찬을 즐겼다.

그럴듯한 말에 속아 넘어가지 않도록 조심하라.

생각 나누기

1. 양들이 개들을 멀리 보낼 때 개들은 어떤 말과 행동을 했을까요?

2. 양들이 늑대의 말에 속은 이유는 무엇일까?

질문 만들기

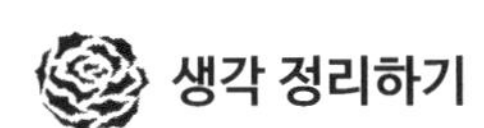

생각 정리하기

이야기30

농부와 뱀

사악한 자에게 베푼 친절이 가져오는 결과는?

어느 추운 겨울 아침, 농부 한 명이 자신의 밭을 산책하다가 몸이 꽁꽁 얼어붙은 뱀 한 마리를 발견했다. 농부는 뱀이 얼마나 위험한지 알고 있었다. 그래도 그는 뱀을 살려 주려고 자신의 가슴에 품었다. 농부의 따뜻한 체온에 뱀은 곧 깨어났다.

그러고는 어느 정도 힘을 되찾자마자 자신에게 친절을 베푼 농부를 물었고 뱀의 독은 곧장 농부의 온몸에 퍼졌다. 농부는 자신이 죽을 것이라고 생각했다. 그래서 죽기 일보 직전에 주위 사람들에게 이런 말을 남겼다.

"악당에게 친절을 베푼 내가 어떤 꼴이 되었는지 잘 보게."

감사할 줄 모르는 사악한 자들에게 베푼 친절은 버려진 것과 같다.

생각 나누기

1. 뱀은 왜 자신을 살려 준 농부를 물어 죽게 했는가?

2. 이 사건을 지켜 본 사람들은 농부를 어떻게 바라 보았을까?

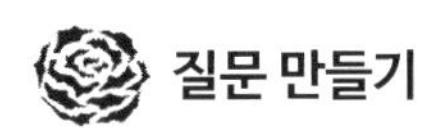

질문 만들기

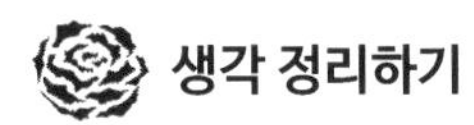

생각 정리하기

이야기31

개미들과 베짱이

지금 당장 좋은 것에만 집중하게 된다면?

늦가을의 어느 화창한 날, 개미 한 무리가 따뜻한 햇살을 받으며 여름에 모아 두었던 곡식을 말리고 있었다. 그때 베짱이 한 마리가 옆구리에 바이올린을 끼고 나타나서 먹을 것을 조금 달라고 구걸했다. 그 모습에 개미들은 놀라며 말했다.

"말도 안 돼! 겨울에 먹을 것을 모아 두지 않았다고요? 지난 여름에 대체 무얼 했나요?"

그 말에 베짱이는 투덜거렸다.

"음식 부스러기 따위를 모아 둘 시간이 없었어요. 노래 부르고 노느라 바빴거든요. 그런데 정신을 차리고 보니 벌써 여름이 가버렸네요."

개미들은 어이없다는 표정을 지으며 말했다.

"먹이 모을 틈도 없이 노래나 부르고 놀았다고요? 그럼 이제 춤을 출 차례네요!"

그러고는 베짱이를 무시하고서 일을 계속했다.

미래를 준비하지 못하는 자에게는 자비도 허락되지 않는다.

생각 나누기

1. 자신은 개미와 베짱이 중 누구와 더 닮았을까?

2. 여름에 열심히 일하는 개미를 보며, 베짱이는 무슨 생각을 했을까?

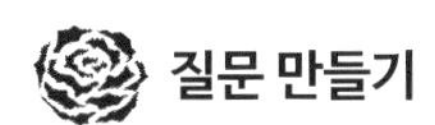

질문 만들기

생각 정리하기

이야기32

고양이 목에 방울 달기

실천에 옮길 수 있는 말을 하지 못한다면?

어느 날 쥐 부족이 천적인 고양이로부터 자유로워질 방법에 대해 회의를 열었다. 적어도 그들은 자신들이 달아날 수 있도록 고양이가 오는 것을 미리 아는 방법을 찾기를 원했다. 그동안 고양이의 날카로운 발톱이 두려워 밤낮으로 쥐구멍에서 나갈 수 없었기 때문에 대책이 꼭 필요했다. 쥐들은 많은 꾀를 쏟아냈지만 좋아 보이는 것은 하나도 없었다. 마침내, 아주 어린 쥐 한 마리가 자리에서 일어나 말했다.

"단순하지만 확실히 성공할 수 있는 계획이 생각났어요. 고양이의 목에 방울을 다는 겁니다. 우리의 적이 다가오면 방울이 울릴 테고, 그러면 우리는 때맞춰 몸을 피할 수있을 거예요."

쥐 부족 모두는 왜 진작 이런 생각을 하지 못했던 것일까, 하며 크게 놀랐다. 하지만 그들 모두가 뜻밖의 행운에 기뻐하는 와중에, 늙은 쥐가 자리에서 일어나 말했다.

"우리 젊은이가 아주 좋은 계획을 세우긴 했습니다. 하지만 좀 물어 봅시다. 누가 고양이의 목에 방울을 달 거요?"

해야 할 일을 말하는 것과 실천하는 것은 별개의 문제다.

생각 나누기

1. 이 이야기 이후 어떤 모습이 펼쳐 졌을까?

2. '고양이 목에 방울 달기' 말고 다른 좋은 방법은 무엇이 있을까?

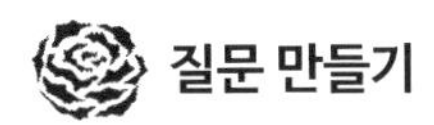

질문 만들기

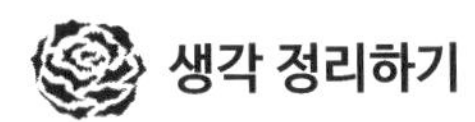

생각 정리하기

이야기33

늑대와 아기 염소와 엄마 염소

확신이 들지 않는다면?

어느 날 아침, 엄마 염소가 먹을 것을 사기 위해 시장에 갈 채비를 했다. 현관의 빗장을 잠그면서 엄마 염소는 혼자 남을 아기 염소에게 이야기 했다.

"집 잘 지키고 있어야 돼. '늑대들 콱 망해버려라!'라는 암호를 말하지 않으면 아무도 집 안에 들이지 말고."

그런데 공교롭게도 그때, 근처를 지나가던 늑대 한 마리가 엄마 염소가 하는 말을 엿듣게 되었다.

늑대는 엄마 염소가 저만치 멀어지자마자 염소네 집 앞 현관에 노크를 했다.

그러고는 엄마 염소의 부드러운 목소리를 흉내 내며 늑대가 말했다.

"늑대들 콱 망해버려라!"

아기 염소는 올바른 암호를 듣고 문을 열어 줄까 했지만 문틈으로 비친 시커먼 그림자를 보고는 불안해져서는 이렇게 말했다.

"새하얀 앞발을 보여 주세요. 아니면 문을 안 열어 드릴 거예요."

하지만 늑대에게 새하얀 앞발이 있을 리 없었다.

결국 늑대는 왔을 때와 마찬가지로 굶주린 채 그곳을 떠나야 했고, 그렇게 숲 속으로 사라지는 늑대의 모습을 보며 아기 염소는 다음과 같이 말했다

"역시 조심하길 잘했어."

돌다리도 두들겨 보고 건너라

생각 나누기

1. 아기 염소는 어떻게 늑대가 엄마 염소가 아닐 것 같다는 생각을 했을까?

2. 늑대가 손마저 변장을 했다면 아기 염소는 그 다음에 또 무엇을 요구했을까?

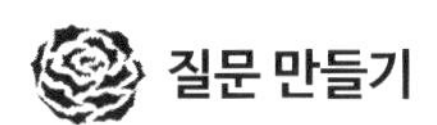

질문 만들기

생각 정리하기

이야기34

당나귀와 마부

충고를 듣지 않는 자의 결과는?

당나귀 한 마리가 가파른 산비탈을 내려가다가 문득 새로운 길을 걷고 싶다는 바보 같은 생각을 했다. 가까이 있는 절벽 끝만 넘어가면 산기슭에 있는 자기 마구간에 바로 도착할 수 있을 것 같았기 때문이다. 그래서 당나귀는 뛰박질을 하려 했지만 그를 몰던 마부는 당나귀의 꼬리를 붙잡고는 놓아주지 않았다. 그래도 고집 센 당나귀는 말을 듣지 않고 온 힘을 다해 절벽으로 내려가려 했다. 끝내 마부는 당나귀를 놓아주며 이렇게 말했다.

"마음대로 해라. 너 가고 싶은 곳으로 가 버려, 이 고집 센 녀석아." 결국 멍청한 당나귀는 절벽에서 발을 헛디뎌 산비탈 아래로 굴러 떨어졌다.

진심어린 충고를 무시하게 되면
자신의 잘못된 모습을 돌이킬 수 없게 된다.

생각 나누기

1. 자신을 말리는 마부를 당나귀는 어떻게 생각했을까?

2. 만약 마부가 끝까지 당나귀를 말렸다면 당나귀는 최후는 어떻게 되었을까?

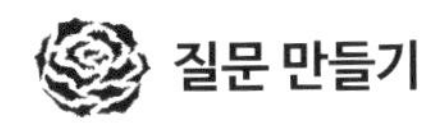

질문 만들기

생각 정리하기

이야기35

두 여행자와 곰

위급한 상황에서 나오는 진심은?

두 남자가 함께 여행하면서 숲을 지나가는데, 갑자기 그들 앞에 곰이 튀어나왔다. 여행자 중 한 명은 혼자만 살겠다고 나무 위로 올라갔다. 하지만 남은 한 명은 혼자서 무시무시한 짐승에게 맞설 수 없었다. 그래서 길바닥에 누워서는 죽은 듯이 꼼짝도 하지 않았다. 예전에 곰은 시체를 건드리지 않는다는 소문을 들은 적이 있어서였다. 그리고 그 소문이 사실이었는지, 곰은 땅바닥에 엎드린 여행자의 머리쯤을 맴돌며 킁킁 냄새를 맡더니, 만족한 듯 그 자리를 떠났다.

곰이 떠나자마자 나무 위로 올라갔던 여행자는 땅으로 내려와서 친구에게 물었다.

"지금 보니 곰이 꼭 무슨 말인가를 자네에게 속삭이고 간 것 같구먼. 그래, 뭐라고 하던가? "

그러자 땅에 엎드려 있던 여행자가 대답했다.

"위험에 처한 친구를 버리는 놈과는 상종도 하지 말라고 하더군."

위험한 상황에 처했을 때가
상대의 진심을 알 수 있는 절호의 기회이다.

생각 나누기

1. 나무 위로 올라간 여행자는 아래에 있는 여행자를 보며 어떤 생각을 했을까?

2. 이후 두 여행자의 사이는 어떻게 되었을까?

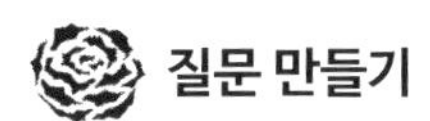

질문 만들기

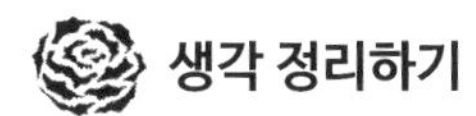

생각 정리하기

이야기36

로도스에서 멀리뛰기

할 수 있는 것을 이야기 하는 자가 얻는 것은?

낯선 땅을 여행하고 온 어떤 사람이, 자신이 지금까지 엄청난 모험을 겪으면서 이뤄낸 공적에 대해 떠벌리고 있었다. 그가 로도스라는 도시에서 멀리뛰기를 했던 일도 그중 하나였다.

그는 로도스에서는 자신이 했던 것만큼 멀리뛰기를 했던 사람이 아무도 없었다고 말했다. 또한 로도스의 많은 사람이 그의 멀리뛰기를 보았으며, 그의 말이 사실임을 증명해 줄 것이라고도 덧붙였다.

그러자 그의 이야기를 듣던 사람들 중하나가 이렇게 말했다.

"뭐하려고 굳이 로도스에서 사람을 불러와요. 여기가 로도스인 셈 치고 당신이 멀리뛰기를 해 보면 되지, 뭐."

과장된 말로 사람을 속이지 말고
할 수 있는 것을 보여 줌으로 신뢰를 얻는 지혜가 필요하다.

생각 나누기

1. 낯선 땅을 여행하고 온 사람은 왜 그렇게 허풍을 떨었을까?

2. 무리 중에 로도스에 살던 사람이 있었다면 그는 허풍 떠는 사람을 보고 어떤 생각이 들었을까?

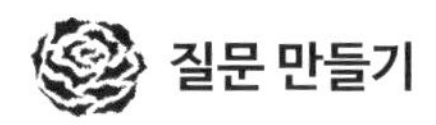

질문 만들기

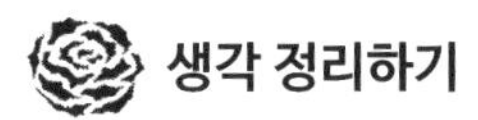

생각 정리하기

이야기37

토끼와 거북이

상대의 단점을 지적하는 자는?

토끼 한 마리가 거북이를 느리다고 놀리면서 비웃음 섞인 목소리로 말했다.

"그렇게 느려서 어디 갈 수나 있기는 해?"

그 말에 거북이는 대답했다.

"물론이지. 그것도 생각보다 빨라. 못 믿겠으면 나랑 경주나 한번 하자. 진짜인지 보여 줄 테니."

토끼는 거북이와 경주를 한다는 것 자체가 정말 웃기다고 생각했다. 하지만 심심함이라도 달랠 겸 경주에 응했다. 그래서 둘은 여우에 게 심판을 맡아 달라고 했다. 여우는 흔쾌히 응했고, 토끼와 거북이가 달릴 거리를 정해 주고는 시작 신호를 했다.

토끼는 신호가 떨어지자마자 저 멀리까지 아주 빠르게 뛰어갔다. 그러다가 잠시 달리기를 멈추고는, 감히 토끼와 달리기 경주를 하려 했던 거북이를 놀려 주기로 했다. 그 자리에서 거북이가 나타날 때까지 늘어지게 낮잠을 자기로 한 것이다.

거북이는 느리지만 침착하게 길을 걸어갔다. 그리고 얼마쯤 시간이 지나 토끼가 잠들어 있는 곳까지 이르렀다. 그래도 토끼는 세상모르고 잠만 잘 뿐이었다. 거북이가 결승점에 들어가기 직전까지도 잠만자고 있었다. 그제야 잠에서 깨어난 토끼는 화들짝 놀라 발에 불이 나도록 달렸지만, 결국 거북이를 따라잡을 수는 없었다.

상대의 단점은 쉽게 판단되지만
자신의 단점은 쉽게 찾을 수 없다.

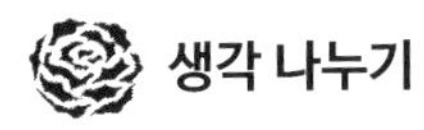

생각 나누기

1. 거북이는 자신이 뻔히 질 경기를 어떤 마음으로 하자고 제안했을까?

2. 이 경기에서 진 토끼는 이후 어떻게 했을까?

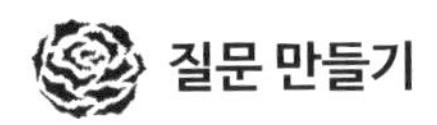

질문 만들기

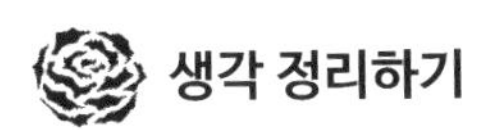

생각 정리하기

이야기38

원숭이와 돌고래

거짓말은 또 다른 거짓말을 낳는다?

예전에 아테네로 가던 그리스의 선박 하나가 아테네의 항구 피레우스 근처에서 좌초된 적이 있었다. 당시에 인간과, 특히 아테네인들과 매우 친했던 돌고래들이 아니었다면 탑승자들은 모두 죽었을지도 모른다는 말까지 있었다. 어쨌거나 그때 돌고래들은 조난당한 사람들을 자신들의 등에 태워서 해변으로 데려다 주었다.

그런데 당시 그리스 사람들 사이에는 여행을 갈 때 자신들이 기르던 원숭이와 개를 데려가는 유행이 있었는데, 그때 사람들을 구하던 돌고래 중 한마리가 물속에서 허우적거리는 원숭이를 사람으로 착각 하고 말았다. 그래서 돌고래는 그 원숭이도 사람처럼 등에 태우고는 해안으로 향하기 시작했다. 구조된 원숭이는 점잔을 떨며 돌고래의 등위에 앉았고, 돌고래는 원숭이에게 예의 바르게 물어보았다.

“저 빛나는 아테네에서 오신 분이시죠?”

원숭이는 거만하게 대답했다.

“그렇소이다. 우리 집안은 아테네에서도 가장 고귀한 집안이지.”

돌고래는 다시 대답했다.

“그렇군요. 그럼 피레우스 항에도 자주 가시겠네요”

“그럼, 그럼. 가고말고. 피레우스 씨의 집에도 자주 들른다오. 가장 친한 친구거든.”

원숭이의 이상한 대답에 돌고래는 놀라서 뒤를 돌아보았다. 그리고 자신이 원숭이 한 마리를 데려가고 있었다는 것을 알았다. 돌고래는 아무 거리낌 없이 원숭이를 물속에 버리고서 다른 인간을 구하려고 떠났다.

한 번 거짓말을 하게 되면
두 번 세 번 하는 것은 아무런 일도 아니다.

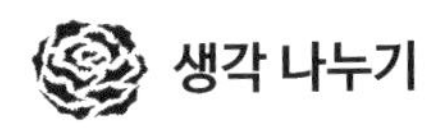

생각 나누기

1. 원숭이가 돌고래의 질문에 대답을 아예 하지 않았다면 어떻게 되었을까?

2. 사람이 아닌 원숭이라서 바다에 다시 던진 돌고래의 행동을 어떻게 봐야 하는가?

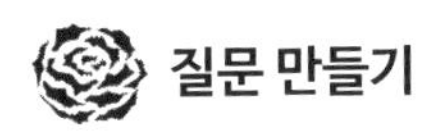

질문 만들기

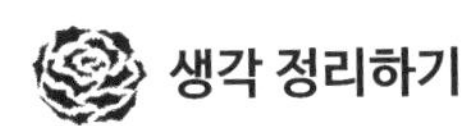

생각 정리하기

이야기39

수탉과 보석

가치를 알아보지 못하는 자에게 필요한 것은?

먹을 것을 찾아 바쁘게 땅을 훑던 수탉 한 마리가 그의 주인이 잃어버린 보석을 찾았다. 수탉은 그것을 보고 말했다.

"우와! 정말 비싸 보이는 보석이네. 잃어버린 사람이 찾느라고 애 좀 썼겠어. 하지만 나는 세상의 모든 보석보다 먹을 수 있는 보리 한 톨이 더 좋지."

귀한 것도 값을 매길 줄 모르는 이들에게는 아무런 가치가 없다.

생각 나누기

1. 수탉은 자신이 찾은 보석을 어떻게 했을까?

2. 보석을 찾은 수탉이 그 보석을 주인에게 돌려 준다면 어떤 결과가 일어날까?

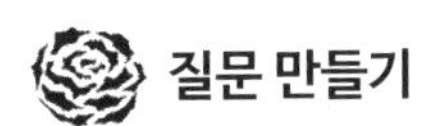

질문 만들기

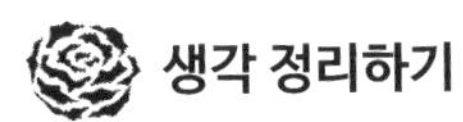

생각 정리하기

이야기40

소금 자루를 진 당나귀

꾀를 부리는 자의 최후는?

어떤 상인이 당나귀에게 무거운 소금 자루를 지운 채로 여울을 따라 강을 건너려고 했다. 이 둘은 전에도 여러 번 같은 강을 사고 없이 건너곤 했다. 그런데 이번에는 당나귀가 그만 도중에 발을 헛디뎌 강에 빠지고 말았다. 상인은 당나귀를 힘겹게 일으켜 세웠지만, 불행히도 소금 대부분이 녹아 없어졌다. 그러나 당나귀는 자신의 짐이 엄청나게 가벼워져 기분이 좋아져서는 즐겁게 여행을 마칠 수 있었다.

다음 날 상인은 다시 소금을 사러 갔고 집에 오는 길에 당나귀는 일부러 강에서 다시 한 번 넘어졌다. 그러자 당나귀가 지고 있던 소금은 다시 강물에 녹아버렸다. 화가 난 상인은 곧 당나귀가 무슨 꾀를 부리고 있는지를 알아차리고는 그를 해변으로 데려가 해면을 가득 채운 바구니 두 개를 당나귀의 등에 실었다. 여울을 건널 때가 되자 당나귀는 이번에도 일부러 발을 헛디뎠다. 하지만 당나귀가 다시 일어섰을 때 짐은 처음보다 열 배쯤 더 무거워져 있었고 불쌍한 당나귀는 녹초가 되어서는 겨우 집에 도착했다.

잔꾀를 부리는 자는 자기 꾀어 넘어가게 된다.

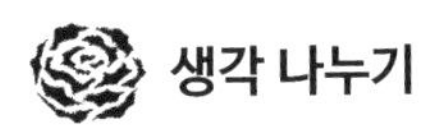

생각 나누기

1. 두 번이나 소금을 잃게 한 당나귀를 주인은 왜 계속 봐주었을까?

2. 당나귀와 상인의 꾀는 서로 어떻게 다를까?

질문 만들기

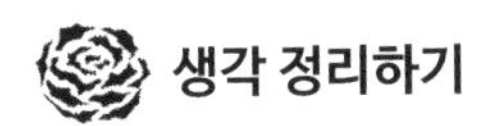

생각 정리하기

이야기41

사자의 몫

막강한 힘을 가진 자가 휘두르는 힘의 영향력은?

옛날에 사자와 여우와 재칼과 늑대가 사냥을 나가 잡은 것을 함께 나누기로 약속했다. 그러던 어느 날, 늑대는 수사슴 한 마리를 잡고 선 바로 동료들을 불러 사냥감을 나누자고 말했다. 그러자 사자가 말없이 자기가 사냥감을 조각내겠다고 나섰다. 그러고는 공평히 먹이를 나눌 듯 뽐내며 동료들의 수를 세더니, 자신부터 가리키면서 말했다.

"나부터 하나, 늑대까지 둘, 재칼까지 셋, 그리고 여우까지 넷."

사자는 수사슴을 네 부분으로 나누고는 다시 말했다.

"나는 사자대왕이니까 첫 번째 몫은 당연히 내 것이고. 내가 제일 힘이 세니 이 두 번째 부분도 내 몫이겠지. 그리고 역시 내가 제일 용감하니 이 세 번째 부분도 당연히 내 몫이지?"

여기까지 센 다음 사자는 그들의 눈앞에서 날카로운 발톱을 흔들면서 나머지 세 친구들을 노려보기 시작했다.

"그리고 너희 셋 중 이 남은 부분을 가져가고 싶은 녀석이 있다면, 지금 한번 나서 봐."

강자는 자신이 가진 막강한 힘으로
부당한 권력을 만들어 낸다.

생각 나누기

1. 사자의 이기적인 모습을 보면서 어떤 생각이 드는가?

2. 이들의 다음 사냥부터는 어떤 일들이 펼쳐지게 될까?

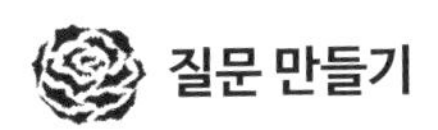

질문 만들기

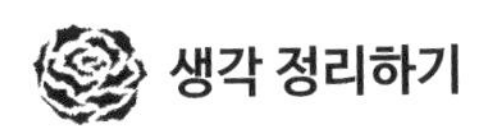

생각 정리하기

이야기42

벌 치는 사람

전후 사정을 잘 살펴야 하는 이유는?

벌 치는 사람이 잠시 자리를 비운 사이 도둑이 그의 양봉장에 들어와 꿀을 전부 훔쳐가 버렸다. 그래서 벌치는 사람이 돌아왔을 때 벌집은 텅 비어있었다. 벌치는 사람은 황당한 나머지 한동안 그 자리에 서서 텅 빈 벌집을 바라만 보았다.

그런데 얼마 되지 않아 벌떼가 그날 모은 꿀을 가지고 벌집으로 돌아왔다. 그러고는 텅 빈 벌집과 그 옆에 멍하니 서있는 벌치는 사람을 보았다. 벌치는 사람이 꿀을 훔쳐갔다고 생각한 벌들은 그를 독침으로 쏘기 시작했다. 벌치는 사람은 엄청난 아픔에 쓰러져서는 울부짖었다.

"이 은혜도 모르는 놈들 같으니. 네 녀석들의 꿀을 훔쳐간 도둑은 그냥 보내 준 주제에 매일 너희를 돌봐 준 사람을 쏘는구나!"

자신의 오해로 인해 죄 없는 사람이 해를 당할 수 있다.

생각 나누기

1. 벌치는 사람의 마지막 말을 듣고 난 벌들은 어떤 마음이 들었을까?

2. 벌치는 사람은 이후 벌들을 어떻게 처리했을까?

질문 만들기

생각 정리하기

이야기43

사기꾼

지킬 수 없는 약속을 하는 사람은?

한 사기꾼이 깊은 병에 걸렸다. 그래서 건강을 되찾을 수만 있다면 백 마리의 황소를 신들에게 바치겠다고 맹세했다. 신들은 사기꾼이 어떻게 자신의 맹세를 지키는지를 보려고 그 사람의 병을 낫게 해 주었다. 하지만 사기꾼은 황소 한 마리 없는 몸이었다. 그래서 그는 진짜 황소 대신 양초로 백 마리의 조그만 황소를 만들어서 신전에 바쳤다. 그러고는 이렇게 기도했다.

"신들이시여, 이제 저의 맹세한 바를 지킵니다. 부디 굽어 살펴주십시오."

사기꾼의 기도에 신들은 마땅한 보답을 해 주어야겠다고 생각했다. 그래서 꿈을 통해 그에게 해변으로 가면 백 개의 황금 왕관을 찾을 수 있다고 알려주었다. 사기꾼은 뜻밖의 노다지에 흥분하여 해변으로 나갔다. 하지만 그곳에서 왕관 대신 도둑 떼와 맞닥뜨렸고, 도둑들은 그를 붙잡아 황금 동전 백 개에 노예로 팔아버렸다.

약속은 자신이 지킬 수 있는 범위 안에서 해야 한다.

생각 나누기

1. 사기꾼은 왜 자신이 지킬 수도 없는 맹세를 했을까?

2. 사기꾼은 양초로 만든 황소를 바치며 무슨 생각을 했을까?

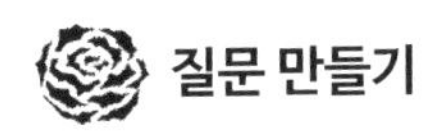

질문 만들기

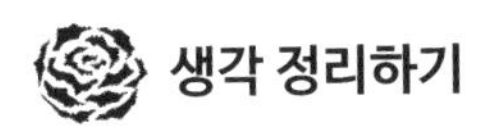

생각 정리하기

이야기44

여우와 게

만족하지 못하는 자의 최후는?

어느 날 게 한 마리가 자신이 살던 해안의 모래에 싫증이 나서는 멀지 않은 곳에 있는 들판으로 산책을 나갔다. 그곳이라면 짠물이나 모래 속의 벌레보다는 더 나은 먹이를 찾을 수 있을 것 같았다.

하지만 게는 들판을 기어가다가 배고픈 여우의 눈에 띄고 말았다. 여우는 순식간에 게를 껍질째 홀랑 먹어 버렸다.

자신이 가진 것에 만족하라.

생각 나누기

1. 게는 왜 들판에 더 좋은 먹이가 있을 것이라 판단했을까?

2. 들판으로 나왔던 게가 여우에게 잡아 먹히면서 무슨 생각을 했을까?

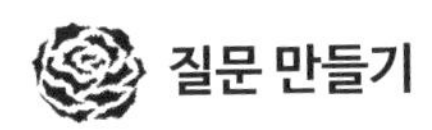

질문 만들기

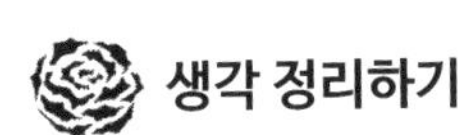

생각 정리하기

이야기45

왜가리

조건을 따지다 보면?

어느 날 아침, 왜가리 한 마리가 강가를 살금살금 걷고 있었다. 눈은 깨끗한 물속을 뚫어져라 바라보면서 언제라도 뾰족한 부리로 아침 식사가 될 만한 물고기를 잡아 올릴 준비를 하고 있었다. 그는 제법 까다롭게 먹잇감을 골랐다. 깨끗한 강에는 물고기가 넘쳐 났지만, 그는 이렇게 말할 뿐이었다.

"새끼 물고기는 안돼. 그렇게 살도 없는 놈들로는 간에 기별도 안 간다고."

그때 살지고 어린 농어가 다가오는 것을 본 왜가리가 말했다.

"저놈도 안 되겠어. 저런 걸 잡자고 부리를 벌릴 필요는 없지!"

하지만 해가 점점 떠오르자 물고기들은 강가의 얕은 물을 떠나 좀 더 시원한 강 밑바닥으로 헤엄쳐 내려갔다. 왜가리의 눈에 띄는 물고기도 더 이상 없었다. 결국 왜가리는 조그만 달팽이 한 마리로 아침 식사를 때워야만 했다.

너무 까다롭게 목적에 맞추려 하지마라.
최악의 결과에 만족해야 하거나, 아예 아무것도 얻지 못할 것이다.

 생각 나누기

1. 달팽이를 먹으면서 왜가리는 무슨 생각을 했을까?

2. 이후 왜가리의 사냥 방식이 어떻게 달라졌을까?

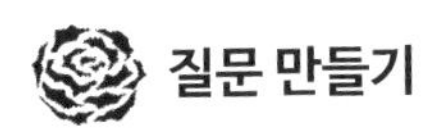 질문 만들기

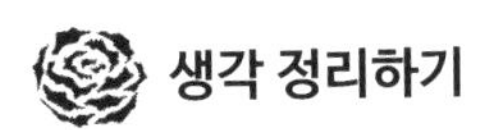 생각 정리하기

이야기46

농부와 사과나무

나에게만 가치가 있는 것이 소중한 것인가?

어떤 농부의 집 마당에 사과나무 하나가 자라고 있었다. 사과나무는 더는 열매가 열리지 않아 제비나 베짱이의 햇볕을 피하는 구실 정도로만 쓰이고 있었다. 농부는 더는 열매가 열리지 않는 것을 보고 나무를 잘라 버리려고 도끼를 가져왔다. 나무에 앉아 있던 제비와 베짱이는 그 모습을 보고 농부에게 나무를 자르지 말라고 애원하면서 이렇게 말했다.

"지금 이 나무를 자르신다면 저희는 다른 집을 찾아야 해요. 그러면 마당에서 일하실 때 피로를 달래 주던 저희들의 노래도 더는 듣지 못 하실 텐데요."

농부는 그들의 말을 들은 체 만 체하며 조금씩 나무를 베어 내기 시작했다. 하지만 몇 번 도끼질을 하자 사과나무의 텅 빈 속에 한 무리의 벌이 지은 벌집이 드러났다. 벌집 속에는 맛있는 꿀이 가득 차있었다. 그것을 본 농부는 기뻐하며 도끼를 던지고는 이렇게 말했다.

"어쨌거나 베어 넘기지 않기를 잘했네."

인간은 자기 자신에게 이익이 있을 때에만
가치를 부여하는 습성이 있다.

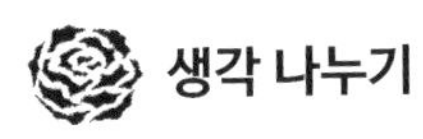

생각 나누기

1. 벌꿀을 발견해 도끼질을 멈춘 농부를 보며 제비와 베짱이는 어떤 생각을 했을까?

2. 벌꿀도 다 먹고 또 나무가 쓸모 없게 된다면 농부는 그 나무를 어떻게 할까?

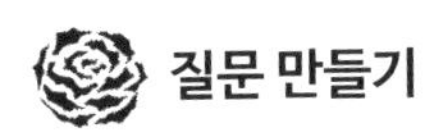

질문 만들기

생각 정리하기

이야기47

늑대의 그림자

환상에 취해 살게 되는 결과는?

어느 날 저녁 무렵, 늑대 한 마리가 배가 고파져 굴 밖으로 나왔다. 그가 먹이를 찾아 이리저리 뛰어다니는 동안 해는 천천히 기울어 갔다. 늑대의 그림자도 해를 따라 점점 길어졌고, 마치 늑대가 원래보다 백배는 더 커진 것처럼 되었다. 그 모습을 본 늑대는 자신감에 차서 외쳤다.

"이럴 수가. 내 몸집이 이렇게 컸다니! 이런 내가 겁쟁이 사자한테 도망치는 건 상상도 못 하지. 누가 왕자리에 더 어울리는지 본때를 보여 주겠어."

하지만 그 순간, 사자가 거대한 그림자를 드리우며 늑대를 앞발로 때려눕혀 버렸다.

환상 속에 살면서 자신의 본래 모습을 잊지 말아라.

생각 나누기

1. 그림자를 보고 늑대는 왜 자신이 거대해졌다고 생각 했을까?

2. 환상에 취해 있는 늑대를 보고 사자는 무슨 생각을 했을까?

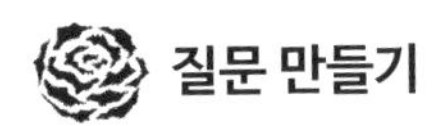

질문 만들기

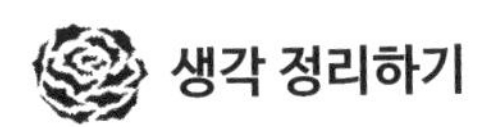

생각 정리하기

이야기48

멧돼지와 여우

지금보다 미래가 중요한 것인가?

멧돼지 한 마리가 나무 그루터기에 엄니를 갈고 있었다. 그때 근처를 지나던 여우 한 마리가 우연히 그 모습을 보고는, 또 놀릴 거리를 하나 찾아냈다고 생각했다. 그래서 주변에 숨은 적을 두려워하는 척하기 시작했다. 하지만 멧돼지는 그를 본체만체하며 계속해서 엄니를 날카롭게 갈았다. 결국 여우는 멋쩍은 듯 웃으며 멧돼지에게 물었다.

"왜 그렇게까지 엄니를 갈고 있나요? 당장 위험에 처한 것 같지는 않은데 말입니다."

그의 말에 멧돼지가 대답했다.

"그건 그렇지요. 하지만 정말로 내가 위험에 처하게 된다면 엄니를 갈 시간 따위는 없을 겁니다. 이 무기를 곧바로 써야만 할 테니까요. 아니면 내가 당하고 말 겁니다."

미래는 지금 준비하는 것이다.

생각 나누기

1. 멧돼지의 말에 여우도 자신의 미래를 위해 무엇인가 준비를 했을까?

2. 장난 치는 여우를 보며 멧돼지는 무슨 생각을 했을까?

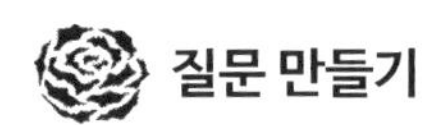

질문 만들기

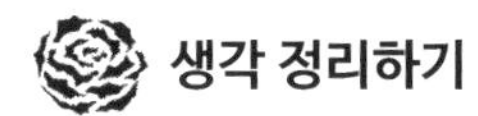

생각 정리하기

이야기49

새끼 사슴과 암사슴

허세로 가득찬 나의 모습이 보이는가?

암사슴이 튼튼하게 잘 자란 새끼 사슴에게 말했다.

“아들, 너는 튼튼한 몸에 단단한 뿔 한 쌍까지 타고났어요. 그런데 왜 그깟 개들을 보면 지레 겁을 먹고 달아나는 건지 도통 모르겠구나.” 그런데 그 순간, 저 멀리에서 한 무리의 사냥개가 울부짖는 소리가 들렸다. 그 소리에 암사슴은 재빠르게 도망가며 이렇게 말했다.

“아들, 여기서 기다리렴. 내 걱정은 하지 말고 ! ”

자신이 가진 두려움을 그럴싸하게 포장하지만
그것은 드러나게 되어 있다.

생각 나누기

1. 도망가는 엄마 사슴의 모습에 아들 사슴은 무슨 생각을 했을까?

2. 도망을 간 엄마 사슴은 이후 아들 사슴을 만났을 때 무슨 말을 했을까?

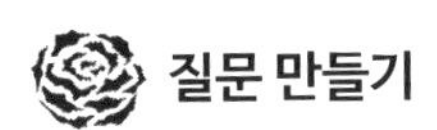

질문 만들기

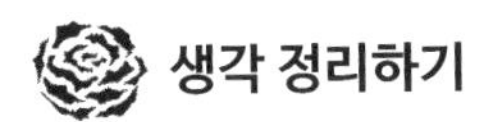

생각 정리하기

이야기50

수소 세 마리와 사자

서로 각자 흩어짐의 결과는?

사자 한 마리가 들판에서 먹이를 먹는 수소 세 마리를 노리고 있었다. 그동안 사자는 몇 번이고 수소들을 공격했지만 그때마다 세 마리의 수소는 서로 힘을 합쳐 사자를 쫓아내 버렸다.

사자는 날카로운 뿔과 튼튼한 발굽을 지닌 수소를 세 마리나 상대해야 했기 때문에 그들을 잡아먹는 것을 거의 포기하고 있었다. 하지만 들판을 떠나지도 못했다. 아무리 얻기 힘들다 하더라도 좋은 먹잇감에서 눈을 돌리기도 힘들었다.

그러던 어느 날, 수소들이 말싸움을 했다. 그러고는 서로 얼굴도 보기 싫다는 듯 들판 여기저기에 멀찍이 흩어져 버렸다. 입맛만 다시며 때를 기다리던 사자는 드디어 수소를 한 마리씩 공격했고, 만족스럽게 굶주린 배를 채웠다.

힘을 모으고 함께 할 때, 두려움을 이겨낼 수 있다.

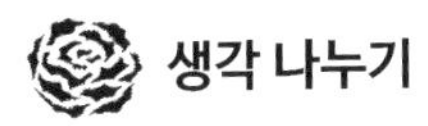

생각 나누기

1. 수소들이 사자를 쫓아낼 때마다 어떤 생각을 했을까?

2. 싸워서 흩어진 상황 속에서 사자가 덤비게 될 때, 여러분이 수소라면 어떻게 위기를 벗어날 수 있을까?

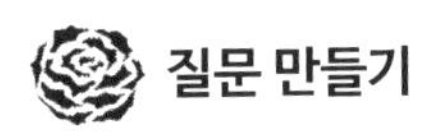

질문 만들기

생각 정리하기